The Magic School Bus

神奇校车

海底探险

The Magic School Bus

神奇校车

海底探险

[美]乔安娜·柯尔 文　[美]布鲁斯·迪根 图　蒲公英童书馆 译

贵州出版集团 贵州人民出版社

感谢美国康涅狄格大学海洋研究院海洋科学教授约翰·巴克博士，他为本书的编写提供了帮助。
感谢以下朋友为本书的出版提供的宝贵建议：
美国国家科普基金会教师培训计划主任苏珊·斯奈德博士；
美国国家科普基金会海洋科学部迈克尔·里夫博士；
美国鲍林格林州立大学海洋生物学教授辛迪·斯通、马克斯韦尔·科恩；
美国自然历史博物馆、巴尔的摩国家海洋馆、康涅狄格州新伦敦市泰晤士科学中心的全体工作人员。

图书在版编目（CIP）数据

海底探险 /（美）柯尔著；（美）迪根绘；蒲公英童书馆译.
一贵阳：贵州人民出版社，2010.12
（神奇校车·第1辑）
ISBN 978-7-221-09190-1

Ⅰ.①海… Ⅱ.①柯…②迪…③蒲… Ⅲ.①海底—儿童读物 Ⅳ.①P737.2-49

中国版本图书馆CIP数据核字(2010)第222185号

神奇校车·图画版⑤
海底探险

文 / [美]乔安娜·柯尔
图 / [美]布鲁斯·迪根
译 / 蒲公英童书馆
策划 / 远流经典
执行策划 / 颜小鹂
责任编辑 / 苏 桦 张丽娜 静 博
美术编辑 / 曾 念 王 晓 陈田田
责任校译 / 汪晓英 责任印制 / 于翠云
出版发行 / 贵州出版集团 贵州人民出版社
地址 / 贵阳市观山湖区会展东路SOHO办公区A座
电话 / 010-85805785（编辑部）
印刷 / 北京华联印刷有限公司（010-87110703）
版次 / 2011年1月第一版 印次 / 2016年10月第二十一次印刷
成品尺寸 / 252mm×212mm 印张 / 3 定价 / 12.00元
蒲公英童书馆官方微博 / weibo.com/poogoyo
蒲公英童书馆微信公众号 / pugongyingkids
蒲公英童书馆 / www.poogoyo.com
蒲公英检索号 / 110011105

本书图画中出现的海洋生物仅仅在首次出现时标注出了名称。

献给亲爱的马戈、布鲁斯、艾米丽和贝丝。
　　　　　　　　　　——乔安娜·柯尔

献给我的爸爸、妈妈和海滩上那些难忘的夏日。
　　　　　　　　　　——布鲁斯·迪根

已经接近傍晚了，天气还是很热。
我们一整天都在为"海洋科学展览"做
准备。卷毛老师看到我们的工作成果，
倒是很满意、很开心，可我们却累坏了。

天哪！
今天可真热！

卷毛老师穿
得真凉快。

是啊，看上
去够酷！

保护海洋剪报册
旺达和菲尔共同制作

孩童帮忙清洁海滩

大海的怒吼：
别把我当垃圾桶

塑料袋对海洋
生物的伤害

海胆模型
——格雷制作

这个模型是用牙签
和粘土制作而成。

海胆

海胆生活在海底，
以海里的植物为食，
身上的尖刺可以防身。

海胆图片

8

阿诺，大海是不是很有趣啊？

说实话，我已经快受不了了。

全世界各大洋是连在一起的！
——瑞秋的笔记

★地球上的四大洋是连通的。它们共同组成了一片辽阔的海洋世界。

海洋世界
蒲公英童书馆

赫尔曼——我们饲养的寄居蟹
——阿诺和阿曼达负责

北冰洋
北太平洋
北大西洋
南太平洋
南大西洋
印度洋

世界海洋地图

寄居蟹

寄居蟹住在螺壳里。随着身体的长大，它们会去寻找新的螺壳来住。

赫尔曼的食物

1. 剁碎的鱼肉
2. 带壳的生虾

地球是一个"水球"！
——旺达的笔记

★地球上的水域面积远远大于陆地。海洋覆盖了地球表面的四分之三。

9

海中的游泳健将

雪莉、约翰和拉尔夫共同制作

鱼类——左右摇摆尾鳍游泳

鲸——上下摇摆尾鳍游泳

水母——身体打开呈伞
状，再迅速合上，喷射
水流产生向上的动力

乌贼——吸水进入体
内再挤压射出，产生
向前或向后的动力

扇贝——快速张
合贝壳来移动

"胡母胡母努库努库阿普阿阿鱼"

一种生活在夏威夷海域的鱼。
（鱼的名字比它的身体还长）
——阿历克斯制作

海洋动物游泳的示意图已经做好了，我们正在往墙报板上贴。这时有人说了一句："我们要是能去海边游泳就好了。"

卷毛老师突然抬头说："同学们，其实我早计划好了，明天就带你们去看大海。"

大家欢呼起来！

有时候，有一个古怪的老师，并不是一件坏事！

海水为什么是咸的？

——蒂姆的笔记

★海水中大部分的盐分来自于岩石。当海水侵蚀岩石时，盐就溶入海里了。

1立方米海水中大约能提取出35千克盐。

卷毛老师是说要去海边吗？

我们可以在那儿玩耍和游泳了。

她没开玩笑吧！

别问了，快回家收拾东西吧，明天就得出发了！

海洋里大部分的盐和我们放在食物里的盐是一样的。

11

第二天，大家都穿着沙滩装出现在校车旁。

我们兴奋地登上了那辆老校车，卷毛老师很快发动了汽车。哈哈，太棒了，我们已经迫不及待地准备在阳光下尽情享受了！

我已经等不及了，我要去游泳！

我要在沙滩上盖一座城堡！

嘿，我们真是太幸福了！

校车终于到达了海滩。就在我们准备下车的时候，你们猜猜发生了什么事？

卷毛老师居然没有把车停下来！她继续向前开，向前开……穿过沙滩，直奔大海而去。

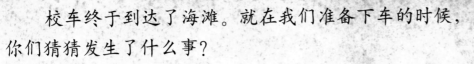

沙子是从哪里来的？

——菲比的笔记

★岩石和贝壳被风化成为小块后，经过水流的不断冲刷，就形成了沙子。每一粒沙子都是岩石或贝壳的微粒。

13

潮涨潮落

——瑞秋的笔记

★海水的涨落是一种规律的海面升降变化：海面水位升高时，称为涨潮；海面水位降低时，称为落潮。

涨潮　　　　落潮

★潮汐主要是由于月球对地球各处的引力不同而引起的。

"我们现在到了潮间带。"卷毛老师说，"这里也是海岸的一部分，涨潮时被海水覆盖，退潮时就会显露出来。"

右手这张是我正在救一位老奶奶，而左手这张则是著名的"勇救莫菲"——一只特别可爱的小狗。

救生员

嗯！嗯！

哦！哦！

假日新闻

天气预报

吃饭，睡觉，打怪物

海港上的生命

我们透过车窗看到一些小水坑，那是海水退潮后留下的潮水坑。

大家都盼着卷毛老师赶快让我们下车。

和以前一样，这次盼来的又是失望：她还是开着校车全速向前冲去。

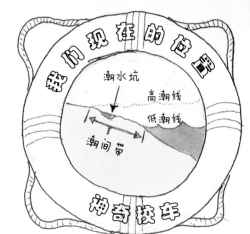

她不是说要带我们去海滩吗？怎么还往前开？

不对！她说要带我们去看"大海"。

我猜她是真的要带我们到海里去了！

海藻

海星

玉黍螺

贻贝

帽贝

绿蟹

藤壶螺

海胆

15

海浪是如何形成的？
——弗洛丽的笔记

★海浪通常是由风产生的。
★风越强，海浪也就越大。

微风只会吹
起小波纹。

强风则能卷
起大波浪。

校车一下冲进了海水里，救生员蓝尼看到了，赶紧使劲吹哨，想让我们停下。

卷毛老师根本没有停车的意思。蓝尼只好飞奔过来救我们。

等等，我必须去救那辆校车！

清风与我

嗯！嗯！

噢！

海市蜃楼

突然，一股神秘的巨浪升起。卷毛老师打开车门，救生员一下子被海浪卷进了校车。

这时，窗外除了波涛汹涌的海水，什么都看不见了。我们吓得都不敢睁开眼睛，只一个劲儿地哇哇乱叫。

海鸥

同学们，认识海洋的最好办法就是近距离地观察它。

用不着靠这么近吧！

救命啊！

嗨，大家好！我是救生员蓝尼。

噢，太好了，现在我觉得安全一点了。

我们正在下沉！

等我们再睁开眼睛的时候，周围的一切变得好安静。

我们已经在海里了，而且还发生了一些变化——老校车变成了一艘潜水艇，每个人都穿上了潜水服。

我们早该料到，这是卷毛老师安排的又一次疯狂旅行！

大家别担心，我一定会救你们的，这是我的工作。

过一会儿再说吧！

卷毛老师的课才刚刚开始呢！

现在谁都拦不住她。

金枪鱼

乌贼

比目鱼

海葵

我们刚回过神来，卷毛老师就开始给大家讲解起海洋知识来。

"我们现在正穿过大陆架。"她说，"大陆架从海岸一直延伸至水下180米处。"

肥鱼号

同学们，我们下潜得越来越深了！

对我来说，海洋科学确实太深了。

石鲈

什么是大陆架？

——卡门的笔记

★地球上所有大陆的边缘，都会向海洋自然延伸。其中被海水覆盖的部分就叫大陆架。

学习新词汇

——多罗茜的笔记

★ "大洲"是指地球上最主要的七块陆地：
1.非洲
2.南极洲
3.亚洲
4.大洋洲
5.欧洲
6.北美洲
7.南美洲

我们现在的位置

大陆架

神奇校车

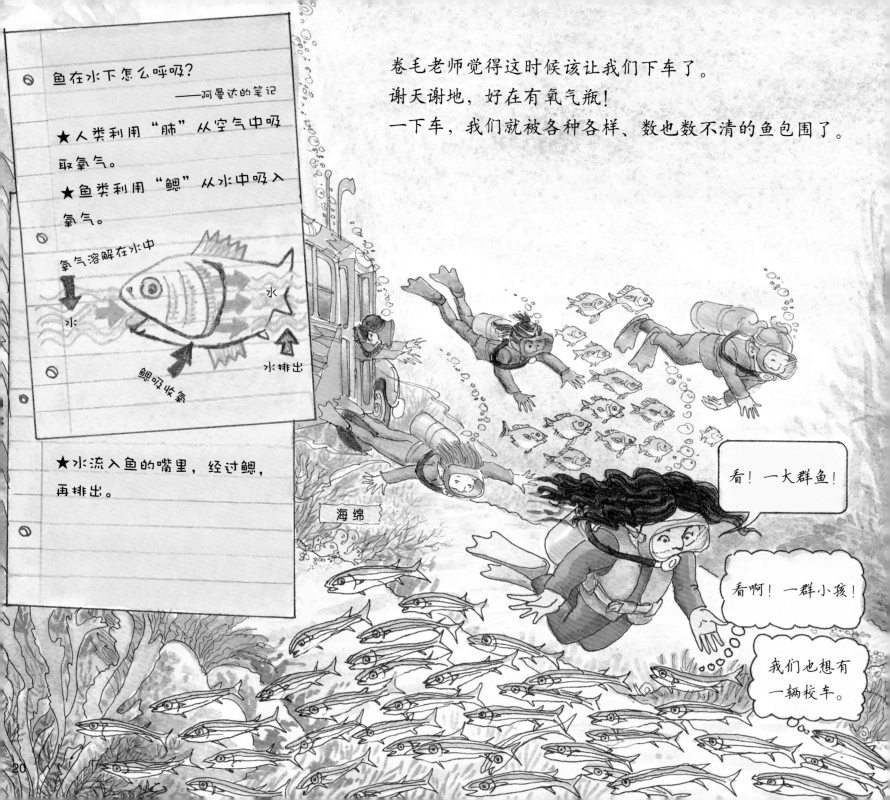

鱼在水下怎么呼吸?

——阿曼达的笔记

★人类利用"肺"从空气中吸取氧气。

★鱼类利用"鳃"从水中吸入氧气。

氧气溶解在水中

水

水

水排出

鳃吸收氧

★水流入鱼的嘴里,经过鳃,再排出。

海绵

卷毛老师觉得这时候该让我们下车了。

谢天谢地,好在有氧气瓶!

一下车,我们就被各种各样、数也数不清的鱼包围了。

看!一大群鱼!

看啊!一群小孩!

我们也想有一辆校车。

20

往下看，在海底：龙虾正在捕捉螃蟹；海星挥舞着它们的胳臂用力掰开蛤蜊；水母轻轻地从我们身边飘过，利用有刺的触手捕捉小鱼。

海洋里到处是生机勃勃的景象啊！

水母

蓝蟹

龙虾

海螺

阿诺，我们吃的海鲜大部分来自大陆架。

我以为都是从超市的海鲜架上来的呢……

水母为什么不是鱼？

——格雷的笔记

★一条真正的鱼，必须有脊椎、鳃和鳍。水母不具备这些，所以不是鱼。

★许多生活在海洋中的动物，实际上是无脊椎动物。以下就是一些无脊椎动物：

水母

海星

贝类和甲壳类

扇贝　蚶贝　海蜗牛　螃蟹

海星

蛤蜊

扇贝

海带

什么是浮游生物？
——阿诺的笔记

★浮游生物是大量漂浮在海水中的海洋生物。

★它们的体积一般很小，必须使用显微镜才能看到。

卷毛老师告诉我们，水中还存在一些我们肉眼看不到的生命。

她拿出一台显微镜，让我们仔细观察海水。

我们在显微镜下看到了奇怪的小生物。

"同学们，"卷毛老师说，"这些微小的生命就叫做浮游生物。"

同学们，浮游生物可分成两类，一类是动物，一类是植物。

快看！一只浮游动物正在吃浮游植物呢。

噢，吃得真香。

红海藻

浮游动物

浮游植物

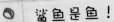 **鲨鱼是鱼！**

——莫莉的笔记

★ 大部分的鲨鱼都是游泳健将。它们的牙齿像刀一样锋利，通常以螃蟹、鱼、海豹为食，有时还会吃别的鲨鱼。

几种鲨鱼

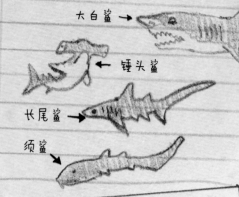

大白鲨 →

← 锤头鲨

长尾鲨 →

须鲨 →

 特别的骨骼！

——拉尔夫的笔记

★ 鲨鱼的骨头与其他鱼类不一样，是由具有柔韧性的软骨构成的。人类的耳朵、鼻尖的骨头也是软骨。

噢，天啊！游过来的是虎鲨！

卷毛老师让大家别担心，她告诉我们大部分的鲨鱼是不吃人的。

她说："每年被鲨鱼攻击致死的人非常非常少。"

即便这样，我们还是被吓得要死。

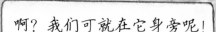

虎鲨

人类不是虎鲨的主要食物。但如果有人靠近它们，就有可能遭到攻击。

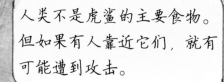

啊？我们可就在它身旁呢！

这时，一条巨大的鲸鲨从我们身边游过。

卷毛老师说："鲸鲨从来不伤害人，它们只吃浮游生物。"

大鲸鲨向海洋深处游去。我们便紧跟其后，离开了大陆架，游到一处陡峭的斜壁上。这里叫做大陆坡。

我们正朝着海洋的深处前进！

鲸鲨并不是鲸！

——麦克的笔记

★鲸鲨和其他鲨鱼一样都属于鱼类。之所以叫鲸鲨，是因为它们是鲨鱼中体形最大的。

喂，鲨鱼！快回来！我还没施展"海底捞人"的功夫呢！

我们现在的位置

大陆坡

神奇校车

跟着我！

25

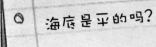

海底是平的吗？
——菲尔的笔记

★大部分海底是比较平坦的，但这并不是说海底都是平的。

★地球上最深的峡谷和最高的山都在大海里。

水下的峡谷叫海沟
↓

目前发现最深的海沟有11千米深

岛屿其实是山顶！
——阿诺的笔记

★有些位于海底的山脉，会露出海面，这部分就是我们看到的岛屿。

看！一座海岛！

看！一座山！

过了一会儿，鲸鲨游往别处了。

卷毛老师带领我们继续往深处游。海水已经变得冰冷刺骨，四周黑漆漆的，因为阳光根本无法照射到这么深的地方。

卷毛老师打开她的手电筒，开始带着我们往回游。我们看到校车时，惊奇地发现它又变样子了。

阿诺，你不是怕黑吧？

我喜欢黑暗，黑暗是我的朋友。我们现在可以回家了吧？

校车变成了在深海进行科学探测的潜水器。

卷毛老师解释说："这里的水压非常大，普通的潜水艇很容易被压坏。"

接着她就直朝海底驶去："这里没有足够的食物供大型海洋动物生存。大部分的深海鱼长得都很小。"

这里就像一片荒凉的水下沙漠！

这些小深海鱼，在黑暗中会发光呀！

它们可以发出很特别的光，就像陆地上的萤火虫一样。

鮟鱇鱼

灯笼鱼

叉齿鱼

胸斧鱼

为什么植物无法生长在很深的海底？

——旺达的笔记

★ 植物的生长需要阳光。而阳光无法照射到深海，所以植物无法生长。

深海动物吃什么？

——雪莉的笔记

★ 有些深海动物靠上层水域沉下来的食物残渣为食。还有一些动物会发出特殊的光，用它来吸引猎物。

我们现在的位置

大陆架 大陆坡 深海海床

神奇校车

27

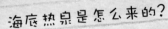
海底热泉是怎么来的？
——阿历克斯的笔记

★冰冷的海水通过裂缝，漏到地球内部，遇到滚烫的岩浆，就会立刻沸腾起来，喷射而出。这就形成了海底热泉。

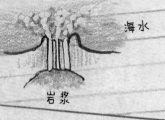
海水

岩浆

在热泉附近，有食物吗？
——雪莉的笔记

★有一些特殊的细菌，利用热泉产生的硫化氢和热能来制造食物。这些食物也供养了热泉附近的大部分生物。

校车继续向前行驶。途中，我们看到了各式各样的海洋生命，这里如同一座生机盎然的海底花园。

"同学们，这个地方是个海底热泉的泉口。"卷毛老师说，"流出热泉的孔道就是海底的一个洞，里面不断流出混有硫化氢气体的热水。"

同学们，在泉口附近，有足够多的食物供养较大的深海动物。

这些管状虫看起来很像大号"口红"。

大蛤（长30多厘米）

巨型管状虫（长2.5米~3米）

卷毛老师说："这里还有其他的热泉口，可惜我们已经没有时间去看了。"

她拉起仪表板上的操控杆，校车便直接冲向了海面。

这些蠕虫看起来好像意大利面。

我们吃过午餐没有？

求求你们，我都没有食欲了。

那个海葵长得就像是一朵小花。

海葵（长5厘米）

盲蟹（长30多厘米）

细菌团（厚75厘米左右）

面条虫（长60~90厘米）

海底热泉最早是在什么时候发现的？

——约翰的笔记

★第一批海底热泉是在20世纪70年代到80年代之间被人们发现的。在此之前，海洋学家从来没有在这么深的海底看到过这么大的海洋生物。

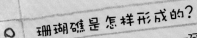

珊瑚礁是怎样形成的？

——阿曼达的笔记

★ 每个珊瑚虫会在自己周围长出石灰质的骨架。珊瑚礁便是由一层活的珊瑚虫附着在上百万个死珊瑚虫的骨骼上，在数百年至数千年的生长过程中形成的。

典型珊瑚虫的实际大小

每个"小点"就是一只单独的珊瑚虫

珊瑚虫怎样吃东西？

——瑞秋的笔记

★ 大多数珊瑚虫在夜晚进食。很多细小的触手从石灰质的骨骼里伸出来，抓住浮游生物，再送到自己嘴里。

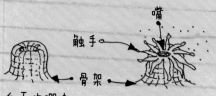

嘴

触手

骨架

白天的珊瑚

同一只珊瑚在夜里

很快，我们便浮出了水面，校车这时变成了一艘玻璃底的小汽艇，向一个阳光普照的岛屿驶去。透过玻璃，我们看到海里有一大片颜色鲜艳的石头墙。

卷毛老师说那是珊瑚礁，是由许多微小的珊瑚虫聚在一起形成的。

我们跳下汽艇，开始了又一次探险。

别游得太远了！我的救援任务还没完成呢！

噢，他何时开始的救援行动？

我想他已经很努力了。

海笔

这些珊瑚礁是由许多不同类型的珊瑚虫组成。
有一些珊瑚礁看上去像是长着很多枝干的树；
有些则像是扇子或手指；还有一些甚至像人的大脑！

三种珊瑚礁

——蒂姆的笔记

★裙礁——是指附着在海岸或陆地上的珊瑚礁。

俯视图　　　　　　　侧视图

珊瑚礁

★堡礁——是指在离岸较远的浅海中，呈带状分布的大礁体。

海水

★环礁——是指在沉降火山四周形成的，呈环状分布的珊瑚礁。

沉降火山

我们现在的位置

岛屿

裙礁

卷毛老师和同学们正在小岛岸边的礁石上。

"珊瑚礁是许多海洋生物居住的好地方。"卷毛老师说。

我们看见螃蟹、龙虾，还有大大的鳗鱼和章鱼，黏乎乎的海虫和大螯虾、海胆。各种颜色鲜艳的鱼都生活在珊瑚礁的周围。

大家笑一笑！

我就知道我是个明星。

海鳗

大蛤

海兔

才一会儿工夫，卷毛老师就说该走了。虽然还没玩够，但谁也不想被留在这里，大家赶紧爬上了汽艇。

卷毛老师踩了一脚油门，校车便轰鸣着驶离了这片珊瑚礁。

海洋里的哺乳动物
——弗洛丽的笔记

★事实上，海豚、鲸鱼、海豹、海象等生活在海里的动物都不是鱼类。它们和马、狗、人类一样，是温血哺乳动物。

★大多数的鱼都会产卵，而海洋中的哺乳动物却和人一样，是妈妈生下幼崽，并用母乳喂养它们长大。

这时，就在我们周围，一群海豚跃出水面，嬉戏玩耍着，远处还出现了一头鲸。

平常而美妙的一幕。

但我们还是感觉有点不对劲，奇怪的事情真的又发生了：我们的校车逐渐变平了。

嗨！我是哺乳动物。

世界可真小，我们也是哺乳动物。

海豹
海豚
鲸
海狮
海獭
海牛

抹香鲸
宽吻海豚

海平面
我们现在的位置
神奇校车

和往常一样，在这种时候，只有卷毛老师还能保持镇定。

她将校车径直开到一股洋流中，我们随着洋流漂出很远……终于又看到了那片熟悉的海滩。

孩子们，你们的校车一直都是这个样子吗？

怎么说呢！它以前还从没变过"船"。

也从没变得这么扁、这么平。

除此之外，它倒没什么改变。

同学们，保持身体平衡！

为什么巨浪在靠近岸边时会"摔碎"呢?

——卡门的笔记

★在浅水区,海底会将巨浪的下面拖住,使海浪速度减慢。海浪的上部仍保持快速的惯性运动,所以海浪的浪头便会掉落下来,摔碎。

浪头依然保持快速前进

浪底速度已经减慢下来

"大家都留在车上,不要乱动!"卷毛老师喊道。

留在车上是对的,因为校车已经在不知不觉中变成了一个巨大的冲浪板!

这是我救援生涯中最伟大的一次行动了!

恭喜你啊!蓝尼。

鹈鹕

我们知道你一定做得到!

大家都小心翼翼地站在冲浪板上，
乘着一股巨浪，直冲向海岸！

37

38

我们的潜水服已经不见了。校车又恢复到它原来的样子，安静地停在了海滨浴场的停车场里，好像什么事情都没发生过一样。

我们谢过蓝尼为我们所做的一切，就准备回学校了。

回到教室里，我们做了一张非常棒的海洋示意图，贴在了整面墙上。

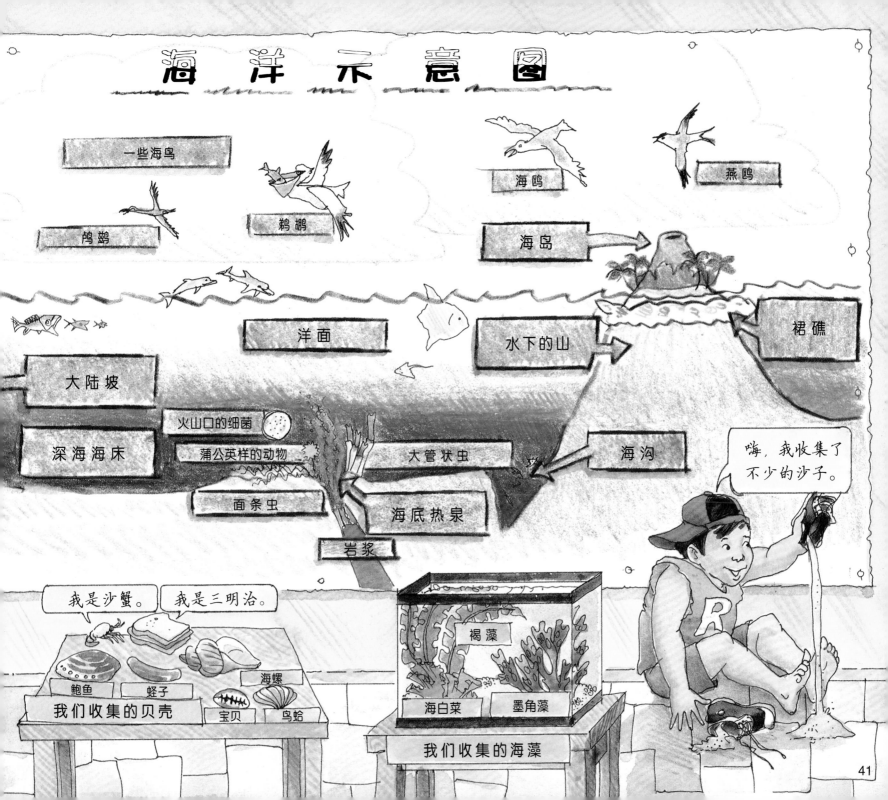

终于到放学时间了。今天是星期五，这就意味着，明天和后天都不用担心卷毛老师再有什么惊人之举了！

我们真的太需要一个周末来好好休息一下了！

海蜗牛

一种腹足动物
（用腹部走路）

——约翰画

我才想起来……
我爸爸明天还要带我去海边玩，可我好累啊。

别担心，明天有雨。

哎呀！

水母
——蒂姆制作

我的海参

——格雷画

我画的小海参看上去不怎么舒服，但我也不觉得它难看。

我最爱的贝类
（双壳的）

牡蛎

——旺达画

选择题

看看，哪些是真的，哪些是编出来的？

请先阅读题目，再看下面三个选项：A、B、C，选择一个正确答案。检验一下自己是否答对，答案就在下一页。

问题：

1. 在现实生活中，如果校车开到海里去，会发生什么事？
   A. 校车会变成一艘潜水艇，再变成一个水下探测潜水器，再变成一艘小艇，最后变成滑板。
   B. 校车还是一辆校车。
   C. 校车会变成一只橡胶鸭子。

2. 一天之内就可以完成海洋探险吗？
   A. 是的，如果你乘坐的是一个大扇贝。
   B. 不行，一天内肯定完不成。
   C. 有可能，那就要看一天有多长了！

3. 在现实生活中，海洋动物会说话吗？
   A. 是的，不过只是有重要事情时才会说。
   B. 是的，不过会有很多泡泡冒出来。
   C. 不会，海洋动物不会说话。

答案:

1. 正确答案是B。

   校车是不可能像变魔术一样变成其他东西的。它也不可能在海里行驶,水会渗入校车,校车也会沉入海底。

2. 正确答案是B。

   在海中行驶几千米要花很长的时间,即使鲸鱼迁徙也要花上好几个月。

3. 正确答案是C。

   事实是很多鱼会发声,鲸和海豚似乎还有特殊的交流方式,但海洋动物是不会用人类的语言交流的,也从来没有人听过海星讲笑话。